GW00994887
Wps!
Dewi Pws Morris
Lluniau Eric Heyman
Gomer

I holl blant Cymru
a wnaeth flwyddyn y Bardd Plant yn gymaint o hwyl!

Cyhoeddwyd yn 2011 gan Wasg Gomer,
Llandysul, Ceredigion SA44 4JL
www.gomer.co.uk

ISBN 978 1 84851 300 6

Dymuna'r cyhoeddwyr gydnabod cymorth Cyngor Llyfrau Cymru.

Argraffwyd a rhwymwyd yng Nghymru gan Wasg Gomer, Llandysul,
Ceredigion SA44 4JL

Rhagair

Rwy'n ysgrifennu cerddi
Sy'n dweud dim byd yn wir.
Ma nhw'i gyd 'run fath â'i gilydd
Ac fel hon 'dyn nhw ddim yn hir . . .

A dyma bennill arall
Nad yw yn dlws na chain –
Di-ystyr, gwag ac ofer
Fel 'run a ddaeth o'i flaen!

Dewi Pws

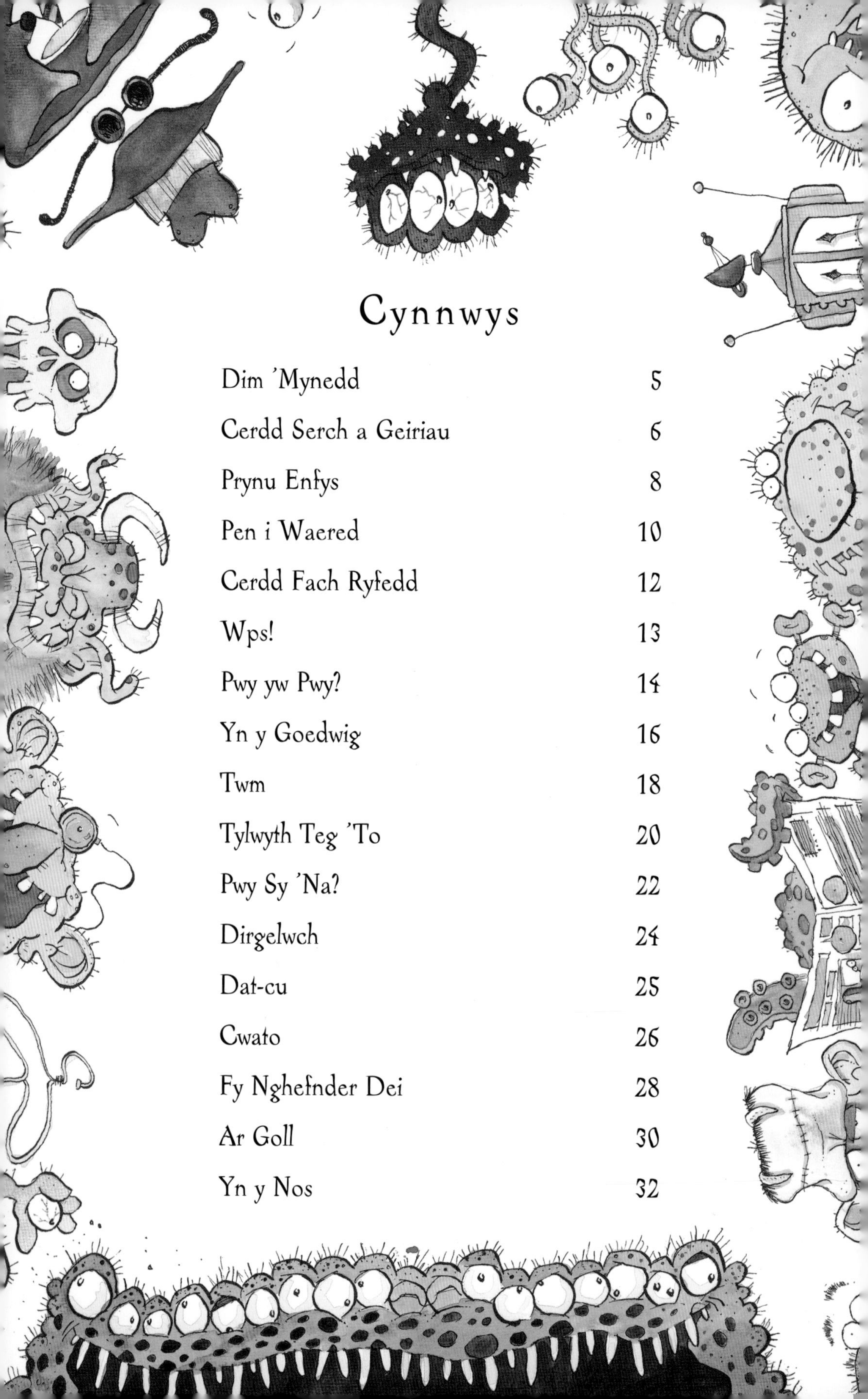

Cynnwys

Dim 'Mynedd

Weithie, does gen i ddim 'mynedd
I gynllunio fy ngherdd at y diwedd –
Mae'n rhedeg yn smala
Tan ddaw'r llinell ola
Sy' wastad yn cynnwys llawer gormod o eirie ac yn edrych yn . . .

rhyfedd!

Cerdd Serch a Geiriau

Rwy'n hoffi geiriau byr

Ac rwy'n hoffi geiriau h i r

Dwi ddim yn hoff o eiriau crwn

Ond ma' rhai s g w â r yn plesio'n wir.

Rwy'n hoffi geiriau bach bach bach

A hefyd geiriau MAWR

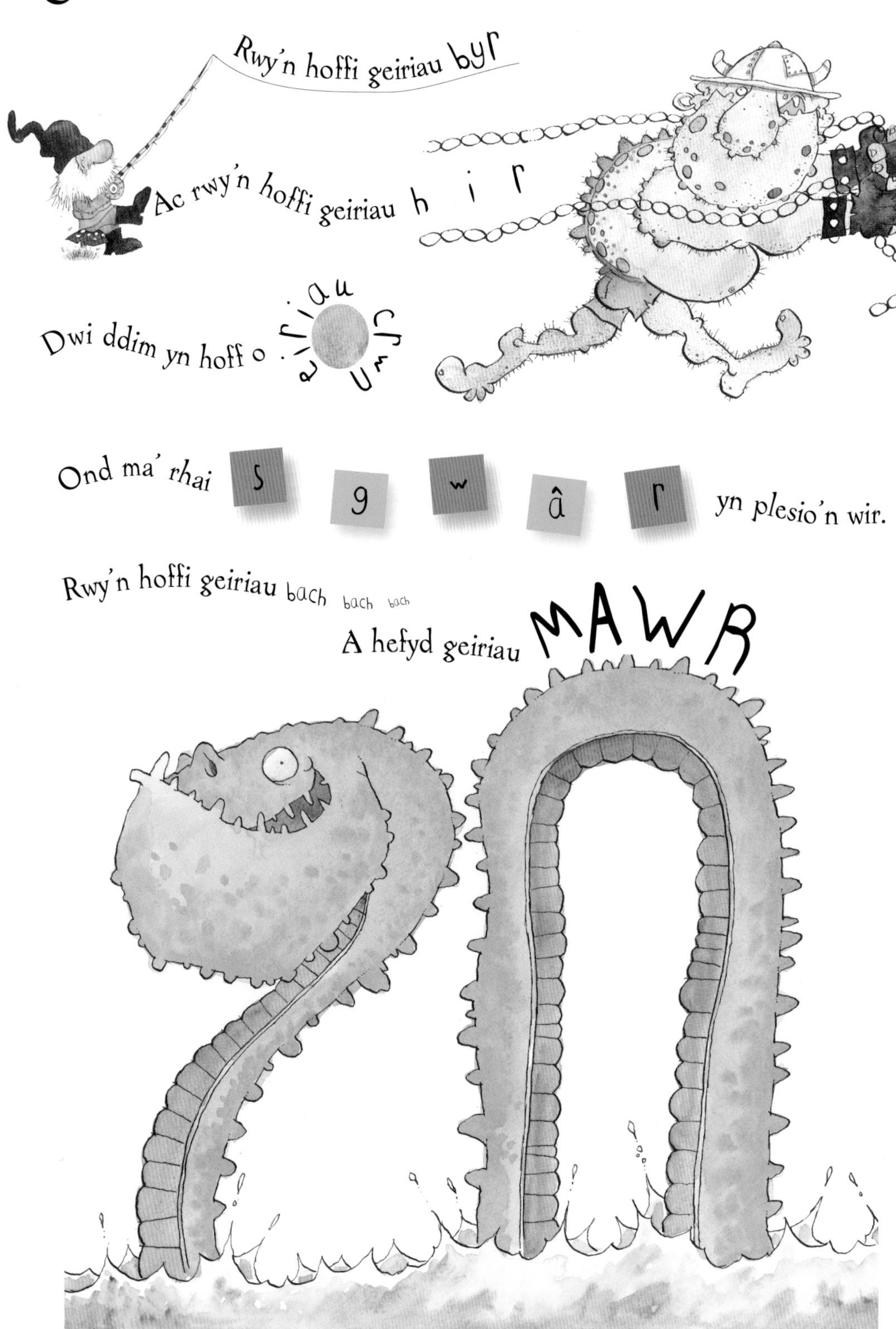

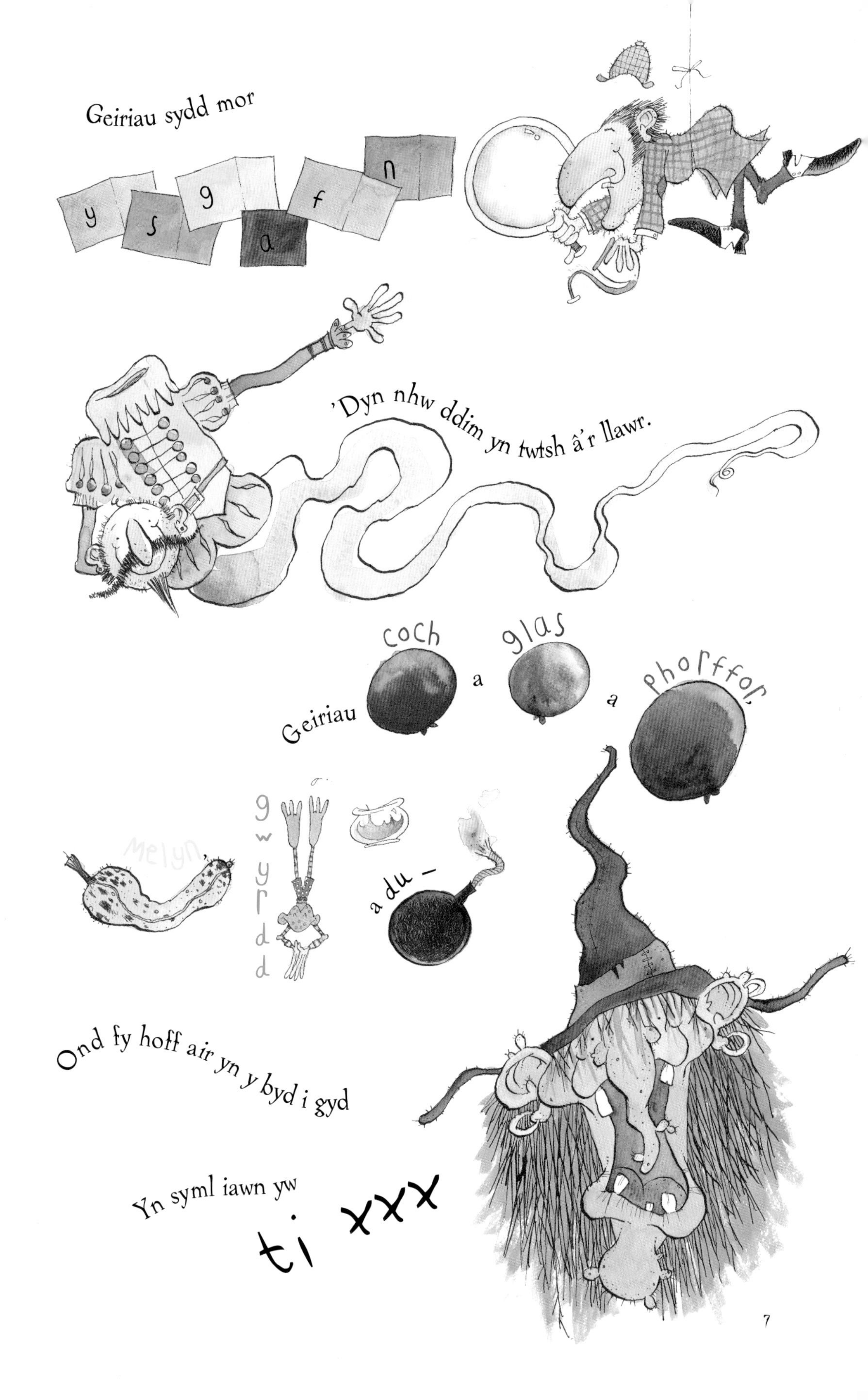
Geiriau sydd mor
ysgafn
'Dyn nhw ddim yn twtsh â'r llawr.
Geiriau coch a glas a phorffor,
melyn,
gwyrdd
a du –
Ond fy hoff air yn y byd i gyd
Yn syml iawn yw
ti xxx

Prynu Enfys

Aeth Siôn i brynu enfys mewn ffair yn Aberdâr –
Aeth yno ar ddydd Sadwrn gyda Siân, ei annwyl whâr.

I gadw cwmni iddynt daeth eu cefnder, Siencyn bach, ac i gludo'r enfys adre, roedd yntau'n cario sach.

Ond doedd dim enfys yn y ffair er chwilio yma a thraw, a throesant 'nôl o Aberdâr yn ddiflas, law yn llaw.

Wrth gyrraedd adre, daeth yr haul
I oleuo'r cymyle chwim
Ac yno fry uwchben y tŷ
Cawsant enfys hardd

AM DDIM!

Pen i Waered

Pa fath o fyd a fyddai, tybed, 'se pob un peth yn ben i waered?
Yr haul yn iâ ac wedi rhewi,
Adar yn hedfan a'u traed i fyny . . .
Y môr yn goch a'r cymyle'n las,
Anifeiliaid mewn tai a phobol tu fas?

Glaw yn codi, yn lle disgyn,
Lloi'n dod o wye – dychmygwch y plisgyn!
Defaid yn canu yn braf yn y coed,
Ieir a llwynogod yn chwarae pêl-droed!
Hufen iâ poeth a sglodion blas jam,
Babis yn beicio a'u rhieni mewn pram?

Jiráffs â gyddfe byrion
A chathod â rhai mawr,
Haul yn codi'n hwyr y nos
A'r lloer yn dod 'da'r wawr.
Popeth yn ben i waered,
A neb yn cael mwynhau . . .

Na, mae'n well 'da fi
Y byd bach hwn
Yn union fel y mae!

Cerdd Fach Ryfedd
Mae hon yn gerdd fach ryfedd
Ac i'w darllen hi yn awr . . .
Mae'n rhaid i chi
droi'r llyfr rownd
A'i ddarllen ben i lawr!

Wps!

Roedd bachgen o ardal y Glais
Yn gwisgo sodle uchel a phais –
Lliw coch ar ei wefuse,
Gwallt hir a chlustdlyse
Ac roedd rhywbeth yn od am ei lais!

Wps!

Wedi meddwl . . .

Falle taw MERCH o'dd e!!!

Pwy yw Pwy?

Sboncio'n hapus yn y cae,
Mêêê yw 'ngair i am 'shwmâi?'.

Clustiau hir a chynffon wen,
Hoffi letys yn fawr dros ben.

Hoffi mwythau, dwlu ar faldod,
Yfed llaeth a hela llygod.

Golchi 'denydd yn y gwlith,
Bwyta mwydod, byw mewn nyth.

Dau gorn anferth i godi ias,
Gwylltio'n hawdd a rhuo'n gas.

Hedfan yn brysur o flodyn i flodyn,
A mwmian canu 'mond un nodyn.

Fi sy'n hapus ac yn llon,
Yn neidio'n chwim o don i don.

Yn y Goedwig

Yn y goedwig ger Brynhoffnant
Mae tylwyth teg yn byw –
Mae'n anodd iawn 'u gweld nhw
Gan eu bod yn newid lliw;

Heddiw'n wyrdd fel coeden,
Dro arall yn ddu fel brân,
Yn fflachio'n goch yn y machlud
A dawnsio yn fflamau'r tân.

Yna, os y'ch chi'n ffodus,
Cewch eu clywed ambell waith
Yn chwarae yn y tonnau
I lawr ym mae Tre-saith.

Dro arall, ânt i guddio
Dan y blodau ger y nant –
Dyn nhw ddim yn hoff o bobol fawr
Ond maen nhw'n caru cwmni plant

pi-po!
pi-po!
pi-po!
pi-po!
pi-po!
pi-po!
pi-po!
pi-po!
pi-po!
pi-po!
pi-po!
pi-po!
pi-po!
pi-po!
pi-po!

Ma Twm yn arwr mawr i mi
Does gen i ddim gwell ffrind . . .

Ac mae'n newid ei gymeriad
Ble bynnag ry'n ni'n mynd.

Weithiau, fe yw *Spiderman*
Yn hongian ar ei we,
Dro arall, fe yw'r eliffant
Yn syrcas fawr y dre.

Gofodwr oedd e echdoe
Yn mynd â fi i'r sêr,
Ond pan drodd Twm yn alien
Aeth pethau braidd yn flêr.

Weithiau, Barti Ddu yw Twm
Yn hwylio'r moroedd mawr
Â'n llong yn llawn trysorau
Yn gwibio tua'r wawr.

Twm Siôn Cati neu Glyndŵr,
Myrddin a'i gastiau hud –
Mae Twm, dros y blynyddoedd,
Wedi bod yn rhain i gyd.

Ie, mae'n gallu bod yn UNRHYW UN –
Golygus, dewr a chry' . . .

Chi'n gweld, fe yw Twm y corgi,
Fy nghyfaill gorau i!

Tylwyth Teg 'To!

Ma tylwyth teg yn byw'n tŷ ni,
Ond ble? Does neb yn siŵr –
Ma nhw'n bobl bach direidus
Sy'n creu pob math o stŵr.

Nhw sy'n gadael y gole mlan
A rhoi menyn yn y pot jam . . .
Troi'r radio mlan yn uchel
Pan ma pen tost gyda Mam.

Nhw sy'n gadael llestri
Mewn pentwr yn y sinc –
Rhoi mwd ar draws y carped
A staeno'r cowtsh 'da inc.

Ma nhw'n mynnu taflu 'nillad
Ar lawr y stafell wely –
Mynd i'r oergell ganol nos
A llenwi'u bolie â jeli!

Does neb erioed wedi'u gweld nhw –
Ma nhw'n glyfar, wyddoch chi,
A ma Dad yn dweud pan dwi'n mynd mas
Ma nhw i gyd yn mynd 'da fi!

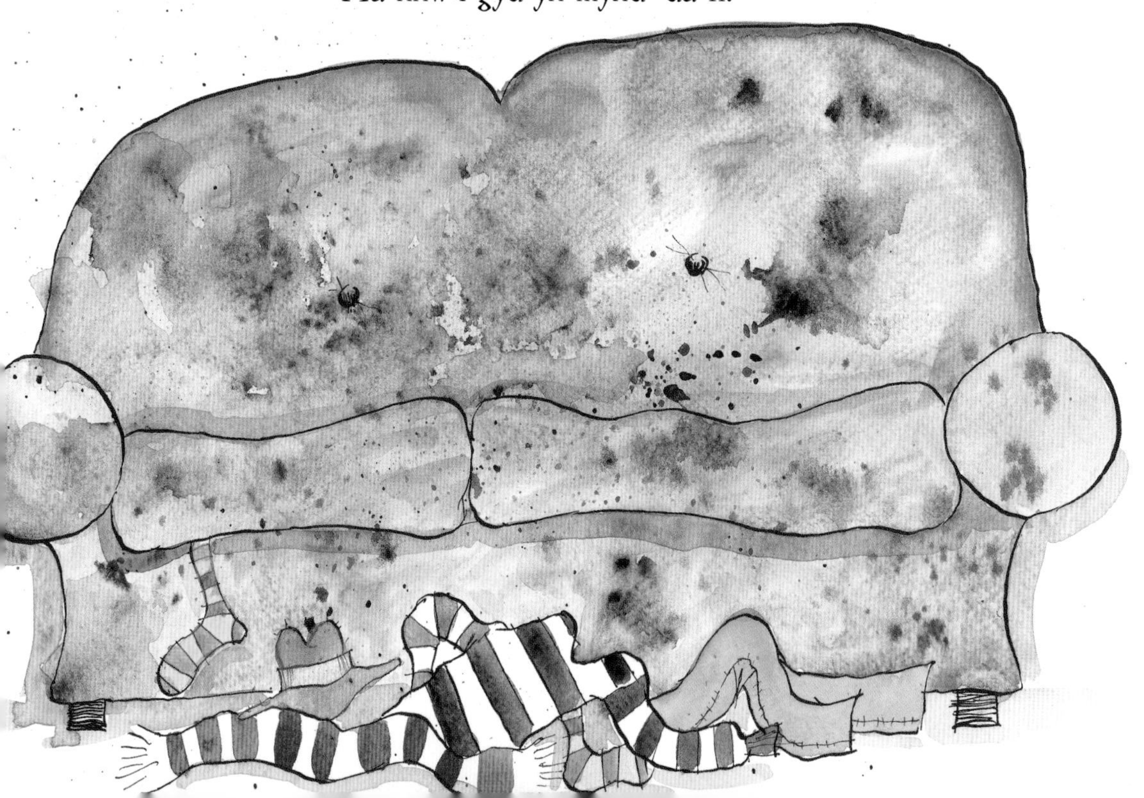

Pwy Sy 'Na?

Mae'n fy nilyn i o gwmpas
Ers pan o'n i'n fachgen bach –
Ond dyw e byth yn siarad
NAC yn achosi strach.

Ambell dro, mae'n fyr
Ar ddechrau'r prynhawn,
Ac erbyn amser te, mae'n dal
A chanddo amryw ddawn.

Os rhedaf i yn gyflym
Mae'n glynu wrtha i'n glòs,
Ond weithiau, mae'n diflannu
Pan mae'n dywyll yn y nos.

A fedrwch chi ddyfalu
Pwy yw yr hynod ŵr?

DIM SYNIAD?
Wel, mi ddwedai . . .

Fy NGHYSGOD yw e, siŵr!

Dirgelwch

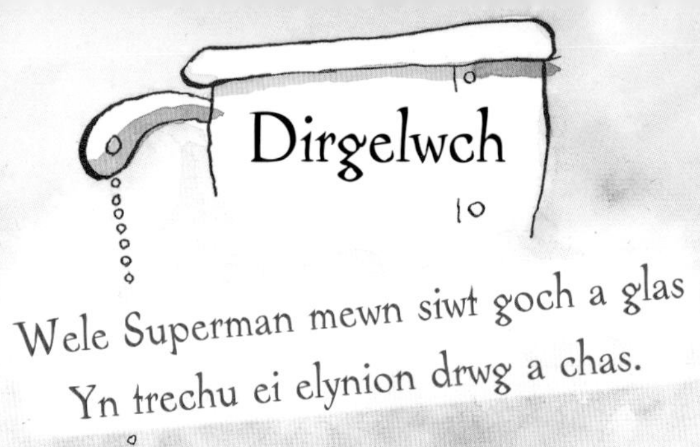

Wele Superman mewn siwt goch a glas
Yn trechu ei elynion drwg a chas.

Ond mae'n syndod i mi
Sut mae'n mynd i bi-pi
Pan mae'n gwisgo ei bants e tu fas!

Dat-cu

Yn fy stafell wely mae 'na lun o'n hen ddat-cu,
A phob nos wrth roi fy mhen i lawr mae'n gwenu arnaf i.

Ond weithiau
Dwi'n methu cysgu
Ac yn gorwedd ar ddihun
Wrth feddwl –
Oedd 'da FE uwch 'i ben
Lun o'i ddat-cu ei hun?!

Cwato

Feddylies i am fynd i gwato
Oddi wrthych chi i gyd,
Ond rhaid oedd meddwl ble i fynd,
Boed unrhyw le yn y byd.

Yn gynta, meddylies Yr Wyddfa,
Ein mynydd uchel, oer . . .
Neu dipyn fwy o antur –
Hel lloches ar y lloer.

Na, yn hytrach af i'r Affrig
I'r goedwig dywyll, gyfrin –
Neu well na hynny hyd yn oed –
Dan sedd yn Nhŷ'r Cyffredin.

Beth am wneud ffrind â llygoden y dre
A chuddio yn ei thwll bach clyd?
Neu fynd at ei chefnder gwledig
A nythu mewn cae yn llawn ŷd?

O dan y môr a'i donnau
Mae llefydd yn llawn rhyfeddod –
Mynd lawr at sŵn y clychau
Yng nghrombil Cantre'r Gwaelod.

Gwell fyth, mynd am daith i'r môr
Mewn cwch o'r Felinheli,
Neu tu ôl i lun fy hen ddat-cu
Sy'n hongian uwch fy ngwely.*

Ond yn y diwedd, penderfynais
Wisgo het a sbectol ddu
A chuddio rywle yn y llyfr hwn –
Fedrwch chi ddod o hyd i mi?!

*chi'n cofio?!

Fy Nghefnder Dei

Ma nghefnder i, Dei, yn byw yn y Gogs,
Ac ma **bois** iddo fe yn newid i **hogs**,
Dyw e ddim yn gweud **gweud** – mae'n newid i **deud** –
Trio fy nhwyllo . . . 'na gyd ma fe'n neud!
Panad yw **dishgled** a **llefrith** yw **llath**,
Iddo fe ma hi'n **waeth**, ond i fi ma fe'n **wâth**!
Yn lle **bwrw** pêl, mae'r crwt yn 'i **hitio**,
Pan 'wy'n mynd i **hedfan**, ma fe'n mynnu **fflio**;
Ma **rŵan** yn **nawr** – wedi troi 'sha nôl
A finne yn **wirion** (ma'r twpsyn mor **ffôl**!).
Dw i'n mynd am **wâc** – mae e'n mynd am **dro**,
Ma fe'n **fe** i fi – iddo fe dw i'n **fo**!

Nawr, ma tyle i Dei yn newid i rhiw,
Ewadd tad a myn cebyst yw'r Gog am jiw, jiw.
Teisen yw cacen, i fyny yw lan,
Tyrd yma yw dere a blawd yw eu can.

Ie, rhyfedd o od yw ein hiaith ni'n dau –
Ond 'sneb yn gywir a 'sneb ar fai;
Er gwahanol yw'r geirie, yr un yw ein llef
Wrth siarad yr iaith ma nhw'n whilia'n y nef!!!

Ar Goll . . .

Roedd Rhys a'i gyfrifiadur
Bob amser gyda'i gilydd,
O amser brecwast ar y bwrdd,
Tan yr hwyr – ar ei obennydd.

Doedd e ddim yn hoffi sgwrsio –
Anamal byddai'n chwerthin,
Ac roedd Rhys a'i sgrin ddienaid
Fel tasen nhw'n dechrau perthyn.

Weithiau, fyddai neb yn gweld
Y ddau drwy'r dydd i gyd –
Roedd y peiriant wedi'i swyno –
Aeth Rhys yn gaeth ei hud.

Ni fedrai'r bachgen ddianc –
Roedd ei feddwl wedi cau,
Ei fyd oedd sŵn botymau
O dan y bysedd brau.

Ac yna, un noson dawel,
Dan olau gwan y lloer,
Fe glywodd Rhys lais angel
Ac aeth ei stafell fach yn oer . . .

Does neb yn gwybod pryd yr aeth
A does neb yn siŵr i ble –
Ond ma rhai yn amau'i fod ar goll
Yn
crwydro
llwybrau'r
we . . .

H E

EELP!

Yn y Nos

Yng nghanol y nos pan ma popeth yn ddu
Ma rhywbeth ofnadw yn crwydro drwy'r tŷ!
Ma'n chwaer i yn siŵr
Mai YSBRYD yw'r gŵr
Ond y gwir yw y FE yw y FI . . .

BW!